Síóg sa Teach

sa Teach

le

Avril O'Reilly

ISBN 978-1-4452-0404-8

Foilsithe den chéad uair ag www.lulu.com

An chéad chló – 2009 © 2009 Lulu

Dearadh, idir leabhar agus chlúdach: Diane Ní Raghallaí

Leagan Gaeilge: Lucás Ó Cionnaith

An Chomhairle um Oideachas
Gaeltachta & Gaelscolaíochta

Foras na Gaeilge

Ba mhaith le Avril Ní Raghallaí buíochas a ghabháil le Foras na Gaeilge
agus leis an gComhairle um Oideachas Gaeltachta agus Gaelscolaíochta,
COGG, faoin tacaíocht airgid a thug siad d'fhoilsiú an leabhair seo.

www.lulu.com

Do mhuintir
Patterson

Daoine sona sásta ab ea muintir Uí Mhurchú.

Gnáthdhaoine ab ea Mamaí, Daidí agus Sam.

Gnáthmhadra ab ea Umfraí agus gnáthchat ab ea Báinín.

Ach ní raibh Beicí ina gnáthchailín beag. Sióg a bhí inti.

Bhí sí in ann draíocht
a dhéanamh!

Inniu, bhí
an mhaidin
caite aici ag
déanamh
cleasa
draíochta
timpeall an tí.

Ach má bhí....

...bhí rud éigin tar éis tarlú di.

Ní sciatháin áille bána a bhí anois uirthi ach píosaí salacha éadaigh.

Ní slipéir áille a bhí uirthi ach buataisí.

Agus ní tútú a bhí uirthi ach fáinne déanta as scuaba dustála!

Bhí bruscar ina cuid gruaige, agus luch bheag ina buatais chlé!

Agus nuair a bhain sí triail as cleas draíochta a dhéanamh, níor tháinig óna slat draíochta ach glór gránna - **"BLURP!!!"**

Bhí Beicí trína chéile.

Ní mar sin a bhí ag na sióga beaga eile. Bhí siad ar fad go hálainn, néata.

Ní raibh bruscar ina gcuid gruaige.

Agus nuair a d'ardaigh siad siúd a slata draíochta, ní **"BLURP!!!"** a chuala siad, ach fuaim álainn cheolmhar.

Bhí Beicí an-bhrónach.
"Féachann na sióga beaga eile ar fad i bhfad níos deise ná mise inniu" a deir sí léi féin.

"Caithfidh mé cuairt a thabhairt ar Niamh, Taoiseach na Sióg".

Ar aghaidh le Beicí go beo!

Bhí Niamh go hálainn.

Bhí sí sásta cabhrú le Beicí i gcónaí.

Bhí súile deasa donna aici, gúna álainn glas agus coróin ard ar a ceann.

Nuair a d'ardaigh sí a slat draíochta, ní **"BLURP!!!"** a chuala sí, ach fuaim álainn cheolmhar.

"Gabh mo leithscéal" a deir Beicí "ach tá rud éigin tar éis tarlú dom.

Nílim chomh hálainn leis na sióga eile inniu. Cén fáth?"

"Agus céard a bhí ar siúl agat inniu?" a deir Niamh. "Cúpla cleas draíochta, sin an méid" a deir Beicí. "Ach bhí cuid de na cleasa sin beagán dána, nach raibh?" a deir Niamh.

"Agus gach uair ar imir tú cleas dána, tháinig athrú ar do chuid éadaí. Agus ar do shlat draíochta!"

D'fhéach Beicí ar a slat draíochta – scuab leithris a bhí anois ann!

BLURP!

"Ach a Niamh!"
a deir Beicí.

"Ní cuimhin liom
aon chleas
draíochta dána
a dhéanamh!"

"Cuimhnigh, cuimhnigh anois
go cúramach" a deir Niamh.

"Tútú álainn bándearg a bhí
ar maidin ort go dtí...."

"Go dtí gur chuir tú dath gorm ar Umfraí!

Sin é an uair ar athraigh an tútú!"

"Ó!" a
deir Beicí.

"An cleas dána a bhí sa chleas draíochta sin?"

"Is ea, cinnte!" a deir Niamh. "Agus bhí ceann eile chomh maith ann..."

"Cuimhnigh, cuimhnigh
anois go cúramach.

Slipéir áille a bhí ar
maidin ort go dtí...."

"Go dtí gur chuir tú bróga fir ghrinn ar do Dhaidí! Sin é an uair ar athraigh na slipéir!"

"Ó!" a deir Beicí.

"An cleas dána a bhí sa chleas draíochta sin?"

"Is ea, cinnte!" a deir Niamh.

"Agus bhí ceann eile chomh maith ann..."

"Cuimhnigh, cuimhnigh anois go cúramach.

Coróin álainn a bhí ar do cheann ar maidin ort go dtí...."

"Go dtí go ndearna tú meaisín níocháin do Mhamaí beag bídeach! Sin é an uair ar athraigh do choróin isteach ina bhruscar!"

"Ó!" a deir Beicí. "An cleas dána a bhí sa chleas draíochta sin?"

"Is ea, cinnte!" a deir Niamh.

"Agus bhí ceann eile fós chomh maith ann..."

"Cuimhnigh, cuimhnigh anois go cúramach.

Slat álainn draíochta a bhí i do lámh ar maidin agat go dtí…"

"Go dtí go ndearna tú ispín te de do dheartháir bocht, Sam! Sin é an uair ar athraigh do shlat álainn draíochta isteach ina scuab leithris!"

"Ó!" a deir Beicí.

"An cleas dána a bhí sa chleas draíochta sin?"

"Is ea, cinnte!" a deir Niamh.

"Ó" a deir Beicí arís "ó!".

Chuimhnigh
Beicí go
cúramach ar na
cleasa draíochta
ar fad a bhí
déanta ó mhaidin
aici.

Ansin,
chuimhnigh sí ar
chleas eile
draíochta.

Chuimhnigh sí
ar a tútú, ar a
péire slipéar, ar a
coróin agus ar a
slat draíochta.

D'ardaigh sí an
scuab leithris.

"Blurp!!!"

Le cleas mór
draíochta amháin,
chuir Beicí gach rud
ina cheart arís.

"Féach anois ort" a deir Niamh.

"Tá tú go hálainn!"

Agus bhí!

"Anois" a deir Niamh "ná bac níos mó leis na cleasa dána draíochta! Cleasa deasa amháin as seo amach!"

"Ach féach Báinín bocht" a deir Beicí léi féin.

"Caithfidh go bhfuil sí tinn tuirseach den chóta bán sin!" Blurp!!!

Cuimhnigh, cuimhnigh anois go cúramach!

Cuimhnigh, cuimhnigh anois go cúramach!

Cé mhéad síóg mhaith atá ann?

Ar athraigh Sam ina bhanana, ina ispín te nó ina oráiste?

Céard a bhí ina cónaí i mbuatais chlé Bheicí?

Ar straidhpeanna a bhí ar na bróga fir ghrinn a bhí ar Dhaidí, nó spotaí?

Cérbh é Báinín?

Cén glór a bhí ó shlat draíochta Bheicí?

Cén dath a bhí ar ghúna Niamh, Taoiseach na Síóg?

Tá 'Sióg sa Teach' ar fáil ar
www.amazon.com
agus ar
www.lulu.com

Buíochas le:

Chanelle Alexander, Jennifer Alford, Allyson Allman, Zaakirah Basil,
The Bead Shop - Covent Garden, Madame de Belle, Ozwald Boateng,
Broadwick Silks, Bruce and Brown London Kids, Chris Bowden,
Sapphire Buckingham, Steve Caplin, Dr Anne Cremona, Essence,
Getty Images, Larry Lamptey, Dr Sue Mack, Bruce Mackie, Microtextiles –
Willesden, Ingrid Molinos, Nathalie Mohoboob, Carol Morley ag Frank,
Diane O'Reilly, Gertie O'Reilly, Ava Tennant, Tom O'Reilly, Adam Parker,
Tabatha Parker, Tony Robbins, V.V. Rouleaux, Paul Strutt ag Angels,
Caroline Shearing, Elisabeth Smith, James Taylor ag Tough Little Graphic,
David J Thomas School Outfitters, Emmeline Webster, Sam Webster,
Wear Moi, Venita ag Future Matters Consultancy, Verna Wilkins, Woolworths.

Agus ar ndóigh le Tolani Lambo,
croí agus anam an togra seo ón gcéad lá riamh.